Y0-BZA-388

ACADEMY

LA BD OFFICIELLE

1 - UNE ÉQUIPE DE RÊVE

Scénario : Mathieu MARIOLLE

Dessin : BENTO

Couleurs : PERDROLLE

David Beckham
N°32
Milieu de terrain

Né le 02 mai 1975 à Leytonstone.
Nationalité : Angleterre
1 m 83 / 75 kg
Droitier
Arrivé à Paris le 31/01/2013

Zlatan Ibrahimovic
N°10
Attaquant

Né le 03 octobre 1981 à Malmö.
Nationalité : Suède
1 m 95 / 95 kg
Droitier
Arrivé à Paris le 18/07/2012

Ezequiel Lavezzi
N°11
Attaquant

Né le 03 mai 1985 à Villa Gobenor Galvez.
Nationalité : Argentine
1 m 73 / 75 kg
Droitier
Arrivé à Paris le 02/07/2012

Blaise Matuidi
N°14
Milieu de terrain

Né le 09 avril 1987 à Toulouse.
Nationalité : France
1 m 75 / 70 kg
Gaucher
Arrivé à Paris le 25/07/2011

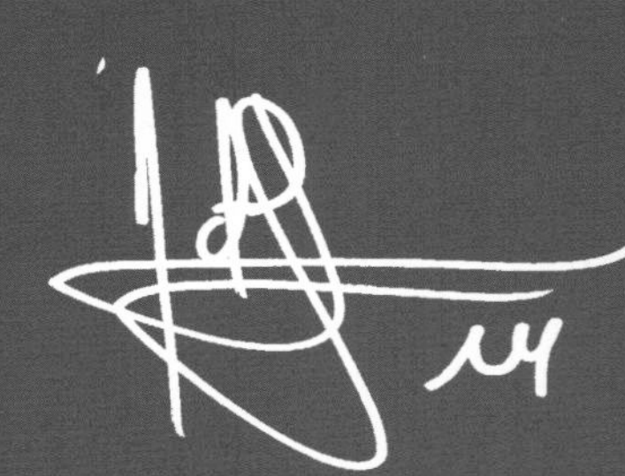

Thiago Silva
N°2
Défenseur

Né le 22 septembre 1984 à Rio de Janeiro.
Nationalité : Brésil
1 m 83 / 79 kg
Droitier
Arrivé à Paris le 14/07/2012

IL NE RESTE PLUS QUE QUELQUES SECONDES À JOUER, LA TENSION EST À SON COMBLE.
LE PSG DOIT ABSOLUMENT MARQUER POUR SE QUALIFIER !

LAVEZZI, SUR LE CÔTÉ QUI DÉBORDE.
Fly Emirates

CENTRE DE BECKHAM.
Fly Emirates

ZLATAN GAGNE SON DUEL...

IL REMISE VERS TOM QUI VA FRAPPER !
Fly Emirates

ET BUT !
À LA TOUTE DERNIÈRE SECONDE !
BUT POUR PARIS !

PARIS EST QUALIFIÉ POUR LA FINALE !

01

POC
BIEN, TOM ! QUAND TU AURAS FINI DE CÉLÉBRER TES EXPLOITS, TU POURRAS VENIR AU TABLEAU RÉSOUDRE CETTE ÉQUATION !
ELLE T'A PAS RATÉ, LA PROF DE MATHS !
C'TE REPRISE DE VOLÉE DU DROIT ! PLEINE TÊTE !
IL EST JAMAIS FACILE CE DERNIER COURS, ABOU...
BOM
MÊME LE MATIN, TU RÊVASSES ! ON DIRAIT UN CHATON QUI PENSE QU'À DORMIR ET JOUER À LA BABALLE...
ALLEZ, DÉPÊCHE-TOI AU LIEU DE FAIRE TON RABAT-JOIE !
ÇA VA COMMENCER !
02

ON JOUE LÀ TOUS LES SOIRS DEPUIS DES ANNÉES ! PERSONNE VA NOUS PIQUER NOTRE TERRAIN !
PEUT-ÊTRE, MAIS JE VEUX PAS PRENDRE LE RISQUE. ON EN TROUVERA JAMAIS UN AUSSI BIEN SITUÉ !

VOUS ÊTES EN RETARD !
MON COLLÈGE EST BEAUCOUP PLUS LOIN QUE LE VÔTRE ET JE SUIS QUAND MÊME LÀ BIEN AVANT VOUS !
TOUS LES SOIRS !

LA BELLE AU BOIS DORMANT NOUS A RETARDÉS !
ENCORE ? TU VAS VOIR QUE MÊME DEMAIN, LE P'TIT TOM VA TROUVER LE MOYEN DE RÊVASSER ET D'OUBLIER DE VENIR.

N'Y COMPTEZ PAS ! DEPUIS LE TEMPS QUE J'ATTENDS CE MOMENT.
VOUS PENSEZ VRAIMENT QUE JE RATERAIS LE DÉBUT DE LA PSG ACADEMY ?
SBOM

OK, C'EST PAS FAUX.
C'EST QUAND MÊME ASSEZ CLASSE D'ÊTRE SÉLECTIONNÉS POUR FAIRE PARTIE DE CETTE ÉQUIPE.
BOM

VOUS LE CROYEZ, ÇA ? DEMAIN, ON Y SERA !
DEMAIN, ON VIVRA NOTRE RÊVE !
DEMAIN, ON SERA SUR SA PELOUSE MYTHIQUE AVEC LE MAILLOT DU PSG SUR LE DOS !

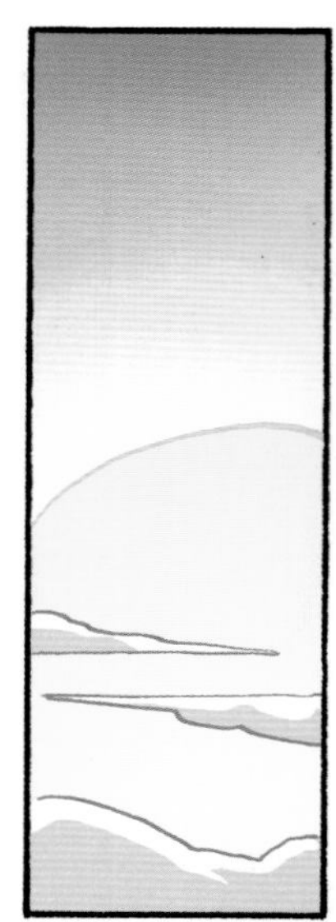

T'AS VU ÇA ? ON EST PILE À L'HEURE, CE MATIN !
COMME JE L'AVAIS DIT !

ENCORE HEUREUX... T'AS MIS QUATORZE RÉVEILS...

DRINNNG ! COUCOU BIP BIP
BIP BIP BIP BIP
BIP BIP BIP BIP
TOUT CE QUE TU POUVAIS TROUVER CHEZ TOI QUI SONNAIT...

ENTREE VIP
TOUJOURS IMPRESSIONNANT, HEIN ?
OUI ! ÇA FAIT DES ANNÉES QU'ON JOUE DEVANT, QU'ON VIENT VOIR DES MATCHS, ET ON PEUT ENFIN ENTRER PAR LÀ !

VOUS VENEZ POUR LA PSG ACADEMY ? C'EST EN BAS, PAR CET ESCALIER. VOUS ALLEZ TOUT DROIT ET VOUS SEREZ SUR LA PELOUSE !
MERCI, M'SIEUR !

VOUS AVEZ ENTENDU ÇA ? DIRECTEMENT SUR LA PELOUSE !

04

TOUS LES TROIS, SUR LA PELOUSE DU PARC ! LE PIED !

TU CROIS QU'ILS VONT NOUS DONNER NOS MAILLOTS, NOS POSTES DÈS AUJOURD'HUI ?
J'EN SAIS RIEN. DIS-TOI QUE CE SERA UNE BONNE SURPRISE !

WOW ! C'EST CE CHEMIN QU'ON VOIT À LA TÉLÉ... AVEC LES PROS... POUR ALLER DES VESTIAIRES JUSQU'AU TERRAIN...
GLUPS !...

OUI ! ET MAINTENANT, C'EST CHEZ NOUS !
TOC
LE PRIVILÈGE D'ÊTRE LES HEUREUX ÉLUS DE LA PSG ACADEMY !

TU M'ÉTONNES, C'EST ENCORE PLUS IMPRESSIONNANT EN SACHANT QUE TOUT LE MONDE NE PEUT PAS PASSER PAR LÀ !

HEIN ?

05

EUH... ABOU... RAPPELLE-MOI COMBIEN 'Y A DE JOUEURS DANS UNE ÉQUIPE DE FOOT ?
BEN, ONZE. PLUS DES REMPLAÇANTS...
ET COMBIEN D'ÉQUIPES LA PSG ACADEMY VEUT MONTER ?
BEN, UNE...

JE SUIS LE SEUL À AVOIR UNE HALLUCINATION ET À VOIR BEAUCOUP TROP DE JOUEURS SUR CE TERRAIN ?
SALUT ! VOUS AUSSI, VOUS ÊTES LÀ POUR LES SÉLECTIONS ?
PARIS SAINT-GERMAIN

LES SÉLECTIONS ?
LES SÉLECTIONS POUR LA PSG ACADEMY... ON EST TOUS LÀ POUR ÇA AUJOURD'HUI...
UNE JOURNÉE DE TESTS ET D'ÉPREUVES POUR QU'ILS PUISSENT CHOISIR QUI VA L'INTÉGRER. ÇA VA ÊTRE FUN !

OK... ON A JUSTE ÉTÉ INVITÉS AUX SÉLECTIONS, EN FAIT...
AÏE... MOI, JE PENSAIS QU'ON FAISAIT DÉJÀ PARTIE DE L'ÉQUIPE... LA GROSSE LOSE...
INT-GERMAIN

ET IL VA FALLOIR LUTTER CONTRE TOUS CES TYPES POUR GAGNER NOTRE PLACE ?
WOW, LE CARNAGE ! 'Y EN A QUI SONT SUPER FORTS !

06

BON, BEN, C'EST CLAIR, ILS VONT JAMAIS ME PRENDRE. JE SUIS PAS ASSEZ BON...
DIS PAS N'IMPORTE QUOI ! ON A TOUS LES TROIS LE NIVEAU SI ON SE DONNE À FOND.
TU M'ÉTONNES ! MOI, J'AI BIEN ENVIE DE LEUR MONTRER CE QUE J'AI DANS LE VENTRE !
IL EST HORS DE QUESTION DE PAS EN FAIRE PARTIE !

BONJOUR À TOUS, BIENVENUE AU PARC DES PRINCES. SI VOUS VOULEZ BIEN ME REJOINDRE DANS LE ROND CENTRAL.

MERCI. POUR CEUX QUI NE ME CONNAISSENT PAS ENCORE, JE SUIS FRANÇOIS, LE DIRECTEUR DE LA PSG ACADEMY.
ET JE SUIS RAVI DE VOUS ACCUEILLIR POUR CETTE JOURNÉE DE SÉLECTION.

VOUS ÊTES POUR LE MOMENT UNE CENTAINE À AVOIR RÉPONDU À NOTRE INVITATION.
À L'ISSUE DES ÉPREUVES QUE NOUS VOUS AVONS CONCOCTÉES, VOUS NE SEREZ PLUS QUE QUINZE CE SOIR.
LES QUINZE JOUEURS QUI PORTERONT LE MAILLOT PRESTIGIEUX DE NOTRE BEAU CLUB !

AUJOURD'HUI, VOUS AUREZ L'OCCASION DE DISPUTER TROIS ÉPREUVES QUI NOUS SERVIRONT À VOUS DÉPARTAGER.
MAIS CETTE TÂCHE NE SERAIT PAS TRÈS AMUSANTE SI JE DEVAIS FAIRE TOUT ÇA TOUT SEUL ET SANS JAMAIS VOUS SURPRENDRE.

ALORS J'AI FAIT APPEL À QUELQUES RENFORTS...

07

WOW ! PINCEZ-MOI, FRAPPEZ-MOI, RÉVEILLEZ-MOI !
NON, EN FAIT, ME RÉVEILLEZ PAS. LAISSEZ-MOI ENCORE RÊVER !
TU RÊVES PAS, POULET... ON LES VOIT COMME TOI... C'EST BIEN EUX...

THIAGO SILVA, MATUIDI ET LAVEZZI...

COMME JE VOUS LE DISAIS, VOUS ALLEZ DEVOIR PASSER PLUSIEURS ÉPREUVES. THIAGO, BLAISE ET EZEQUIEL ONT CHACUN ACCEPTÉ D'ANIMER UN ATELIER, QU'ILS ONT UN PEU PERSONNALISÉ...
LE BUT SERA DE BIEN TESTER VOS CAPACITÉS BALLE AU PIED, BIEN ÉVIDEMMENT, MAIS PAS SEULEMENT, NE L'OUBLIEZ PAS !

POUR CELA, COMMENCEZ PAR VOUS RÉPARTIR EN TROIS GROUPES DE MÊME TAILLE.

OH ! IL EST AVEC NOUS, LUI ?

QUI ÇA, LE GRAND, LÀ ?
TU LE CONNAIS ? IL EST DOUÉ ?

TOUT LE MONDE LE CONNAÎT DANS MON QUARTIER. MAIS LUI NE FAIT PAS VRAIMENT ATTENTION AUX AUTRES NI À CE QU'ILS PENSENT.
IL S'APPELLE DEMBA. JE NE L'AI VU JOUER QUE CONTRE DES ADULTES. ET IL AVAIT L'AIR AUSSI FORT QUE SOLITAIRE...
C'EST DIRE...

08

BON, ON Y VA, LES ENFANTS !
CLAP CLAP

EN ROUTE !

L'EXERCICE QUE JE VOUS PROPOSE EST UNE SÉANCE DE DRIBBLE ET DE CONDUITE DE BALLON.
VOUS ALLEZ DEVOIR PARCOURIR TOUT CE PARVIS SANS JAMAIS PERDRE LE BALLON NI TOUCHER LE MOINDRE PASSANT, NI MÊME GÊNER QUELQU'UN.

DRIBBLER, CE N'EST PAS QU'UNE QUESTION DE VITESSE OU DE TECHNIQUE, VOUS DEVEZ FAIRE PREUVE DE CONCENTRATION, D'ATTENTION AU MOINDRE DÉTAIL.
C'EST UN EXERCICE D'ÉQUILIBRE, UN PEU COMME MARCHER SUR L'EAU !

ÇA COMMENCE BIEN ! ON NOUS MONTRE DÉJÀ LA SORTIE DU STADE...

JE VAIS VOUS MONTRER, C'EST ENCORE CE QU'IL Y A DE PLUS SIMPLE !

09

?
LAVEZZI
11

Fly
Emirates

À TOI DE COMMENCER !
BOM

SBOM !
COMME DANS LA COUR DU COLLÈGE !
BOM

ÇA VA, ON S'EN EST PAS TROP MAL TIRÉS...
OUI... PARCE QU'ON N'A PAS PRIS DE GROS RISQUE. D'AUTRES, PAR CONTRE...

EH BEN, LES PLACES À LA PSG ACADEMY VONT VALOIR CHER.

BRAVO À TOUS, J'AI VU DE TRÈS BELLES CHOSES ! ON RETOURNE AU PARC POUR LA SUITE !
CLAP CLAP

12

VOUS ÊTES PRÊTS ?
ALORS ON COMMENCE. VENEZ ME PRENDRE LA BALLE !

MATUIDI

HEUREUSEMENT QUE JE NE PARTICIPE PAS AUX SÉLECTIONS !
J'AURAIS DÉJÀ PLUS DE DIX POINTS ET VOUS AURIEZ TOUS UN SCORE NÉGATIF.

JE VOUS EXPLIQUE : C'EST UN JEU TRÈS SIMPLE. CELUI QUI A LE BALLON EST LE PORTEUR, LES AUTRES DOIVENT LE LUI PRENDRE. LES SEULES LIMITES SONT CELLES DU TERRAIN ET DES RÈGLES DU JEU.
CELUI QUI PREND LE BALLON AU PORTEUR MARQUE UN POINT, ET LE PORTEUR EN PERD UN. ET QUAND LE PORTEUR ÉVITE UN AUTRE JOUEUR, IL EN MARQUE DEUX.

13

C'EST PARTI !

UN POINT POUR SAMIR, ABOU EST À MOINS UN !

TROIS POINTS POUR SAMIR !

SAMIR N'A PLUS QUE DEUX POINTS, ABOU EN A UN MAINTENANT !

ET POUR RENDRE L'ÉPREUVE PLUS PIQUANTE, J'ARRÊTE DE DONNER LES SCORES. À VOUS DE COMPTER ET DE SAVOIR OÙ VOUS EN ÊTES !

14

LAISSE-MOI TE PRENDRE LE BALLON. IL FAUT QUE JE REMONTE AU CLASSEMENT. JE SUIS LOIN DES AUTRES !
PAS DE PETITS ARRANGEMENTS ENTRE AMIS. ON FAIT ÇA À LA LOYALE !

BON, BEN ON DIRAIT QUE J'AI PLUS LE CHOIX, LÀ... SI J'ARRIVE PAS À LUI PRENDRE, JE RESTE À ZÉRO POINT...

... ET ADIEU LA PSG ACADEMY.

15

WOW !

FIN DE L'EXERCICE ! J'ESPÈRE QUE ÇA VOUS A PLU !

ÇA VA ? VOUS VOUS EN ÊTES BIEN SORTIS ?
ÇA DEVRAIT ALLER.

AU MOINS, ÇA NOUS A PERMIS DE VOIR QUI ÉTAIT AU TOP. SAMIR EST SUPER AGILE. ET T'AVAIS RAISON, DEMBA, C'EST UN MONSTRE !

MAIS UN GENTIL MONSTRE. POUR TE FÉLICITER D'AVOIR RÉUSSI À LUI PRENDRE LE BALLON, IL T'A LAISSÉ UNE CHANCE D'ESQUIVER D'AUTRES JOUEURS.
TU AS FAIT GRIMPER TON SCORE. IL AURAIT PU TE LE REPRENDRE BIEN AVANT ET TON EXPLOIT N'AURAIT SERVI À RIEN.

IL A PAS L'AIR COMMODE, MAIS JE SUIS SÛR QU'IL EST RÉGLO.

16

WOW ! THIAGO SILVA ! CAPITAINE DU BRÉSIL ET DU PSG !
BONJOUR. MES COÉQUIPIERS ONT CHOISI D'ÉVALUER VOS QUALITÉS PHYSIQUES ET TECHNIQUES.
MOI, J'AI BIEN ENVIE DE SAVOIR QUI A DES NERFS D'ACIER PARMI VOUS !

LA RÈGLE EST TRÈS SIMPLE : UN JOUEUR VA DANS LES BUTS, ET VOUS DEVEZ TIRER D'OÙ VOUS LE VOULEZ DANS LA SURFACE DE RÉPARATION.
SI VOUS MARQUEZ, VOUS REMPLACEZ LE GARDIEN. POUR VOUS QUALIFIER, VOUS DEVEZ MARQUER UN BUT ET ARRÊTER LE TIR D'UN AUTRE JOUEUR.
AU FOOT, QU'ON SOIT DÉFENSEUR OU ATTAQUANT, IL FAUT SAVOIR JUGER LES FRAPPES DES AUTRES POUR COMPRENDRE LE JEU.
Fly Emirates

ÇA VEUT DIRE QU'IL VAUT MIEUX COMMENCER COMME TIREUR OU COMME GARDIEN ?
PEU IMPORTE, IL FAUDRA RÉUSSIR DANS LES DEUX SITUATIONS !

17

BRAVO, ABOU ! TU AS MARQUÉ, TU VAS DANS LES BUTS !

BUT DE SAMIR ! ON CHANGE DE GARDIEN.

MAINTENANT, IL VA FALLOIR QUE J'EN MARQUE UN AUTRE POUR REDEVENIR GARDIEN ET AVOIR UNE CHANCE DE FAIRE UN ARRÊT... SYMPA...

BOM
BIEN JOUÉ, SAMIR ! TU ES LE PREMIER QUALIFIÉ !

BOM

JE VOUS AVAIS PAS DIT ? GARDIEN, C'EST MON POSTE PRÉFÉRÉ !
BOM

AH OUAIS ? DONC, LÀ, SI PERSONNE N'ARRIVE À LUI METTRE UN BUT, ON EST TOUS ÉLIMINÉS !
OUI... J'EN AI BIEN PEUR...

18

EUH... LÀ, ÇA SENT VRAIMENT PAS BON ! SI T'AS UN PLAN MAGIQUE POUR QU'ON S'EN SORTE, C'EST LE MOMENT !
NE VOUS ÉNERVEZ SURTOUT PAS. C'EST UN EXERCICE POUR TESTER NOS NERFS. ALORS, GARDEZ VOTRE SANG-FROID, ON FINIRA BIEN PAR MARQUER.
19

ÇA DEVIENT UNE HABITUDE ENTRE TOI ET MOI... RAPPELLE-MOI DE TE CHOISIR COMME ADVERSAIRE LA PROCHAINE FOIS QUE J'AI UN VRAI DUEL À DISPUTER !
ALLEZ, C'EST PAS LE MOMENT DE SE RATER !
LE TEMPS EST PRESQUE ÉCOULÉ. CE SERA LE DERNIER TIR.
20

DÉSOLÉ, MAIS JE TE FERAI AUCUN CADEAU !
J'EN ATTENDS SURTOUT PAS ! TOUT DOIT SE FAIRE À LA LOYALE !

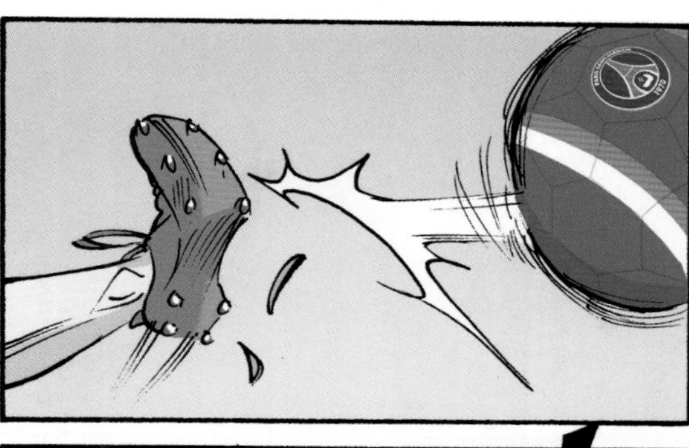

SBAM !

YES !
BIEN JOUÉ ! ELLE ÉTAIT PAS FACILE À ARRÊTER !

BRAVO À TOUS ! ET UN GRAND MERCI À BLAISE, THIAGO ET EZEQUIEL POUR LEUR AIDE AUJOURD'HUI.
JE VOIS QUE VOUS AVEZ TOUS ACHEVÉ VOS ÉPREUVES. MAINTENANT VOUS ALLEZ CHACUN RECEVOIR UN CARTON DE COULEUR EN FONCTION DE VOS PERFORMANCES DU JOUR.
CLAP
CLAP

UN CARTON ROUGE ? VOUS PENSEZ QUE C'EST MAUVAIS SIGNE ?
ÇA VEUT DIRE QU'ON EST EXCLUS ?

21

PARFAIT ! MAINTENANT, SI VOUS AVEZ REÇU UN CARTON BLEU OU JAUNE, VOUS POUVEZ QUITTER LE TERRAIN POUR LE MOMENT ET ON VOUS EXPLIQUERA SI VOUS AVEZ ÉTÉ SÉLECTIONNÉ OU PAS.

ET POUR CEUX QUI ONT REÇU UN CARTON ROUGE, NOUS AVONS BESOIN D'EN VOIR UN PEU PLUS AVANT DE POUVOIR VOUS DÉPARTAGER.
ET POUR CELA, QUOI DE MIEUX QU'UN PETIT MATCH AMICAL ? MAIS PAS ENTRE VOUS !

QUEL INTÉRÊT DE VOUS OPPOSER QUAND LE BUT EST DE CRÉER UNE ÉQUIPE SOUDÉE ET HOMOGÈNE ?
LÀ, VOUS ALLEZ DEVOIR JOUER ET GAGNER ENSEMBLE CONTRE CETTE BELLE SÉLECTION DE JEUNES JOUEURS ANGLAIS JUSTEMENT EN STAGE À PARIS EN CE MOMENT.
9
21

ILS SONT UN PEU PLUS ÂGÉS ET EXPÉRIMENTÉS QUE VOUS, MAIS SANS UN VRAI CHALLENGE, OÙ SERAIT L'INTÉRÊT ?
21

GÉNIAL...
OUI... ON VA SE FAIRE MASSACRER...

SÛREMENT PAS ! SOUVENEZ-VOUS DE POURQUOI ON EST LÀ !
ON VA JOUER ET ON VA GAGNER ! FAITES-MOI CONFIANCE !

ILS... SONT...
TROP... FORTS...
TROP...
RAPIDES...
TROP...
GRANDS...
ET... NOUS...
ON JOUE... COMME
DES... POUSSINS...
ÉGOÏSTES...
23

BIEN... JE PENSE QUE NOUS EN AVONS VU ASSEZ... C'EST UNE DÉFAITE SANS APPEL ET J'EN SUIS VRAIMENT DÉSOLÉ...

MAIS C'EST JUSTEMENT POUR ÇA QUE VOUS DEVEZ NOUS DONNER UNE SECONDE CHANCE. UNE DERNIÈRE CHANCE.

PAS POUR MOI, MAIS POUR NOUS TOUS. POUR CETTE ÉQUIPE QUE VOUS VOULEZ CONSTRUIRE.

ÇA TOMBE BIEN QUE TU ME DISES ÇA, QUE TU RÉAGISSES AINSI... PARCE QUE C'ÉTAIT EXACTEMENT LE BUT DE CET EXERCICE.

VOUS AVEZ 24 HEURES POUR COMPRENDRE COMMENT GAGNER EN ÉQUIPE.

VOUS N'AVEZ PAS UNE SECONDE CHANCE, VOUS AVEZ UNE REVANCHE À JOUER ! DEMAIN, CONTRE LA MÊME ÉQUIPE, EN LEVER DE RIDEAU DU MATCH DE LIGUE 1 DU PSG.

DEVANT 45 000 SPECTATEURS ! ET CETTE FOIS-CI, CE SERA LE COUPERET : À L'ISSUE DE CE MATCH, VOUS SAUREZ QUI FERA PARTIE DE LA PSG ACADEMY.

ON AVAIT DES CARTONS ROUGES ET ON EST EN BALLOTAGE...
ALORS QU'EST-CE QUE ÇA VOULAIT DIRE POUR CEUX QUI EN ONT EU DES BLEUS ET DES JAUNES ?

VOUS AUSSI, VOUS AVEZ MAL DORMI ?
J'AI RÊVÉ QU'ON SE FAISAIT ÉTRILLER COMME HIER ET QUE J'ÉTAIS BANNI À VIE DU PARC POUR AVOIR DÉSHONORÉ LE MAILLOT DU PSG... V'LÀ LE CAUCHEMAR DE TARÉ !

EN TOUT CAS, VA FALLOIR S'ACTIVER, ON A PLUS BEAUCOUP DE TEMPS POUR SE PRÉPARER AVANT LE MATCH.

EXCUSEZ-NOUS, MAIS C'EST BIEN ICI L'ENTRAÎNEMENT DE LA PSG ACADEMY ?

ÇA DOIT ÊTRE ICI...
ILS NOUS LE CONFIRMERONT QUAND ILS AURONT RETROUVÉ LA PAROLE !

WOW ! DAVID BECKHAM ET ZLATAN IBRAHIMOVIC ! ÇA, C'EST LA GRANDE CLASSE !

IL PARAÎT QUE VOUS AVEZ SOUFFERT CONTRE UNE ÉQUIPE ANGLAISE, HIER...
JE SUIS SÛR QUE JE PEUX VOUS AIDER. J'AI UN PEU D'EXPÉRIENCE DANS CE DOMAINE...

UNE PETITE DÉMONSTRATION ?
POC

SBAM

26

SI VOUS VOULEZ LES BATTRE, C'EST AUSSI SIMPLE QUE ÇA !
Fly Emirates

VOUS TROIS, VENEZ AVEC MOI, JE VAIS VOUS PRÉPARER POUR CE GRAND COMBAT !

ET AVEC MOI, ON VA FAIRE UN PETIT POINT SUR CE QUI VOUS A MANQUÉ HIER ET CE QUI FAIT LA GRANDE FORCE DU FOOTBALL ANGLAIS.
VOUS NE POURREZ JAMAIS BATTRE VOTRE ADVERSAIRE SI VOUS NE COMPRENEZ PAS SON JEU.

ET EN ANGLETERRE, LA CLÉ PRINCIPALE C'EST L'ENGAGEMENT, LE FIGHTING SPIRIT.
VOUS NE VERREZ JAMAIS UN ANGLAIS ABANDONNER OU NE PAS SE DONNER À 100 %.

C'EST LE DÉFI QUI VOUS ATTEND TOUT À L'HEURE. ET C'EST UNE LEÇON QUI VOUS SERVIRA À CHAQUE MATCH.
ON RENTRE SUR LE TERRAIN POUR GAGNER ET ON N'ACCEPTE D'EN SORTIR QUE SUR LES ROTULES !

VOUS ALLEZ JOUER CONTRE DES JOUEURS QUI SONT PLUS GRANDS QUE VOUS, MAIS CES CONSEILS DOIVENT VOUS SERVIR CONTRE N'IMPORTE QUEL JOUEUR.
LA TAILLE NE FAIT PAS TOUT. J'AI BEAU ÊTRE GRAND, CE QUI FAIT LA DIFFÉRENCE, C'EST QUE JE NE JOUE PAS COMME UN JOUEUR DE GRANDE TAILLE.

TOUT EST UNE QUESTION DE TECHNIQUE.
SURTOUT DANS UN DUEL OÙ CE N'EST PAS TOUJOURS LE PLUS GRAND OU CELUI QUI SAUTE LE PLUS HAUT QUI OBTIENT LE CONTRÔLE DU BALLON.

27

NE REGARDEZ PAS LE BALLON, VOUS DEVEZ TOUJOURS SAVOIR OÙ IL SE TROUVE.
VOUS NE DEVEZ PAS DÉPOSER LE BALLON SUR LE JOUEUR QUI L'ATTEND...

... MAIS OÙ IL SERA QUAND IL LE RECEVRA.

BONG
BRAVO, TOM !
C'EST AUSSI SIMPLE QUE ÇA : PAS BESOIN DE VISER HAUT NI DE FRAPPER FORT, IL FAUT VISER JUSTE.

N'HÉSITE JAMAIS À SURPRENDRE TON ADVERSAIRE. QUE CE SOIT EN ATTAQUE OU EN DÉFENSE.
TU DOIS TIRER AVANTAGE DE TA TAILLE EN UTILISANT DES GESTES TECHNIQUES INATTENDUS.

DÉSTABILISER L'ADVERSAIRE, ÇA MARCHE SOUVENT ! NE L'OUBLIE JAMAIS.
CHTOUK

ALORS? VOUS ÊTES PRÊTS ?

28-

ON EST PRÊTS, ON EST PRÊTS... C'EST FACILE À DIRE...
OUI... JE M'ATTENDAIS PAS À CE QUE ÇA SOIT SI IMPRESSIONNANT...

RÊVONS PLUS GRAND

C'EST LE GRAND SOIR POUR VOUS ! PROFITEZ-EN, VOUS N'AVEZ QU'UNE SEULE CHANCE DE PROUVER QUE VOUS POUVEZ FAIRE PARTIE DE LA PSG ACADEMY.
CLAP
CLAP

ET DANS LES GRANDES OCCASIONS, ON AFFICHE HAUT SES COULEURS !
C'EST... LE MAILLOT DU PSG ?!

NON. C'EST CELUI DE LA PSG ACADEMY. LE VÔTRE SI VOUS VOUS EN MONTREZ DIGNES !

C'EST LA PREMIÈRE FOIS QU'ON PORTE LE MÊME MAILLOT, C'EST CLASSE !
C'EST SURTOUT COMME ÇA QU'UNE ÉQUIPE NAÎT !

ALORS HORS DE QUESTION QU'ON NOUS L'ENLÈVE !
ON VA Y ALLER, ET ON VA LE GAGNER CE MATCH ! TOUS ENSEMBLE !

24

MESDAMES ET MESSIEURS, SUPPORTERS ET SUPPORTRICES DU PSG, MERCI D'APPLAUDIR LA FUTURE GÉNÉRATION D'ÉTOILES DE NOTRE CLUB.

EN OUVERTURE DU MATCH DE LIGUE 1 DE CE SOIR, CEUX-CI VONT DISPUTER UN PETIT MATCH AMICAL CONTRE L'ÉQUIPE D'ANGLETERRE DES MOINS DE 17 ANS !

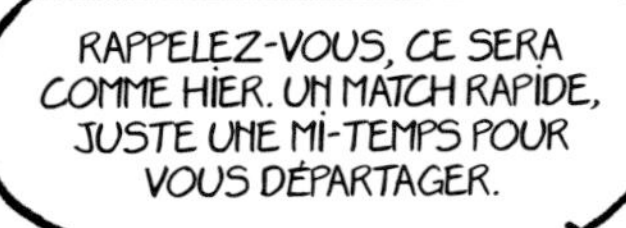

RAPPELEZ-VOUS, CE SERA COMME HIER. UN MATCH RAPIDE, JUSTE UNE MI-TEMPS POUR VOUS DÉPARTAGER.
À NOS INVITÉS DE DONNER LE COUP D'ENVOI. ET BONNE CHANCE À TOUS !

ALLEZ, ON SE LAISSE PAS IMPRESSIONNER ! ON EST LÀ POUR GAGNER, SOUVENEZ-VOUS DES CONSEILS DES PROS !

C'EST FOU, COMME AMBIANCE ! J'AI JAMAIS JOUÉ DEVANT AUTANT DE MONDE, DANS UN ENDROIT AUSSI BRUYANT ! C'EST FLIPPANT...
T'AS QU'À VENIR EN VACANCES AVEC MA FAMILLE ! ENTRE LES DEUX MILLE COUSINS DE MON PÈRE ET LES COPINES BRUYANTES DE MA SOEUR, ÇA DONNE À PEU PRÈS ÇA...

DÉTENDS-TOI ET PROFITE !

AU MOINS, ILS SONT DÉJÀ UN PEU PLUS COMBATIFS.

ALLEZ, UN CENTRE À LA BECKHAM ET C'EST RÉGLÉ !

SBOM

C'EST ÇA, LE FIGHTING SPIRIT, ALORS ?

ABOU ! C'EST L'HEURE DE TON TOUR DE MAGIE !
BAM

31

BIEN JOUÉ, TOM. TOUJOURS VISER OÙ L'ATTAQUANT SERA, ET PAS OÙ IL EST !

SBOCH!

LA PROCHAINE, ELLE EST AU FOND !
SI TU ME REFAIS LE MÊME SUPERBE CENTRE AU SECOND POTEAU !

EN DÉFENSE !!

C'EST QU'UN PETIT BUT DE RETARD, ON PEUT ÉGALISER !

FAUT PAS QU'ON RENTRE DANS LEUR JEU PHYSIQUE OU ON EST SÛRS DE PERDRE !
FAUT QU'ON RESTE TECHNIQUES ET RAPIDES !

33

ÇA FINIRA BIEN PAR RENTRER !
J'ESPÈRE. SINON ON VA SE FAIRE SIFFLER... J'EN REVIENS TOUJOURS PAS QU'ON JOUE DEVANT AUTANT DE MONDE...

SBAM !!!

CRAC !

AAAAAAAAAH ! MA CHEVILLE !!!! MA CHEVILLE !!!! AAAAAAAAAH !!
ÇA FAIT MAL, MAIS ÇA VA PASSER. LE MÉDECIN DU CLUB ET LES SOIGNEURS VONT TOUT DE SUITE S'OCCUPER DE TOI.

GAGNEZ POUR MOI, LES POTES ! S'IL VOUS PLAÎT !
LA PSG ACADEMY, C'EST FINI POUR MOI, MAIS FAITES TOUT POUR EN ÊTRE. OK ?
T'INQUIÈTE, ON VA TOUT FAIRE. ET TU NOUS REJOINDRAS DÈS QUE TU SERAS SUR PIED !

ÇA VA ALLER, LES GARÇONS ? ON PEUT REPRENDRE ?
ON EST TOUJOURS PRÊTS !

CE SERA LA DERNIÈRE ACTION DE CE MATCH.

TOM !

BIEN JOUÉ !
LA GRANDE CLASSE !
UNE LUCARNE AU PARC !

ON DEVAIT GAGNER POUR FAIRE PARTIE DE LA PSG ACADEMY, MAIS ON A FAIT MATCH NUL... ALORS ON FAIT QUOI ? DES PROLONGATIONS ?
ON NE VA PAS AVOIR LE TEMPS, LES PROS ATTENDENT POUR JOUER LEUR MATCH.

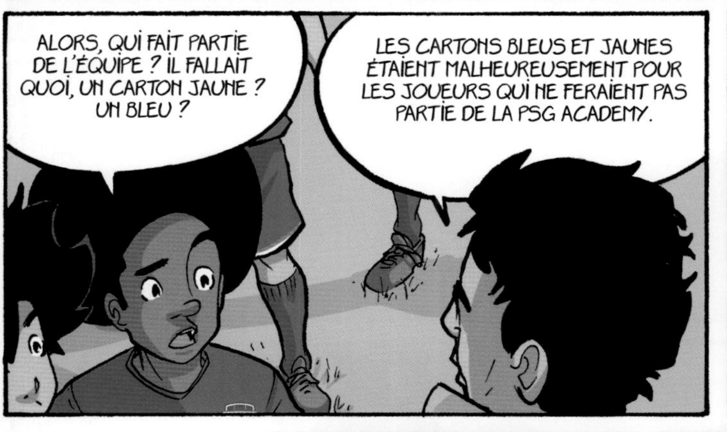

ALORS, QUI FAIT PARTIE DE L'ÉQUIPE ? IL FALLAIT QUOI, UN CARTON JAUNE ? UN BLEU ?
LES CARTONS BLEUS ET JAUNES ÉTAIENT MALHEUREUSEMENT POUR LES JOUEURS QUI NE FERAIENT PAS PARTIE DE LA PSG ACADEMY.

À PART QUATRE JOUEURS QUI NOUS AVAIENT CONQUIS ET POUR LESQUELS NOUS N'AVIONS AUCUN DOUTE.
J'ESPÈRE QUE DES TRIBUNES, ILS ONT AUSSI AIMÉ VOUS VOIR VOUS BATTRE POUR FAIRE PARTIE DE LEUR ÉQUIPE.

VOUS... IL FALLAIT VOUS TESTER, VOUS POUSSER DANS VOS DERNIERS RETRANCHEMENTS POUR VOIR SI VOUS AVIEZ CE QU'ON ATTEND...

ET ?

35

VOUS ÊTES PRIS TOUS LES ONZE !

TOUS LES ONZE ? MAIS JE SUIS PAS EN ÉTAT DE JOUER ! LE MÉDECIN A DIT QUE JE POURRAIS PAS REMARCHER AVANT DES SEMAINES...
LE COURAGE ET LA RÉMISSION FONT PARTIE DE LA VIE D'UN JOUEUR. MÊME BLESSÉ, TU FAIS PARTIE DE CETTE ÉQUIPE !

ON A RÉUSSI ! ON EN FAIT PARTIE !
J'Y CROIS TOUJOURS PAS...

BIENVENUE !
Fly Emirates

VOUS AVEZ ENTENDU ÇA, LES GARS ?
OUI... ON FAIT PARTIE DU PSG !
ICI, C'EST PARIS !

REJOINS-NOUS POUR LA SUITE DE NOS AVENTURES À LA PSG ACADEMY DANS LE TOME 2, «RIVALITÉS» !

DANS LA MÊME SÉRIE

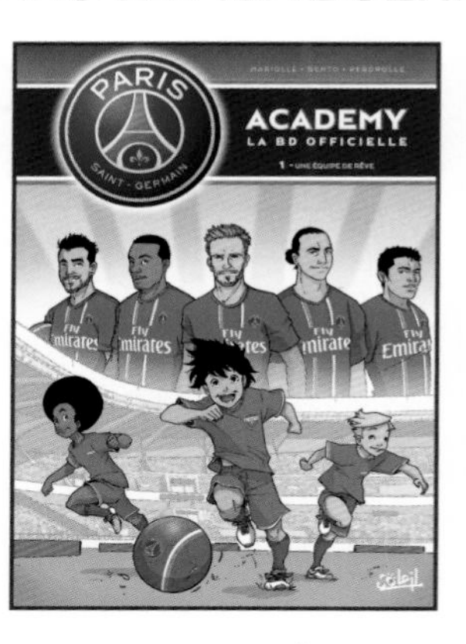

1 - UNE ÉQUIPE DE RÊVE

2 - RIVALITÉS

3 - AFFRONTEMENTS

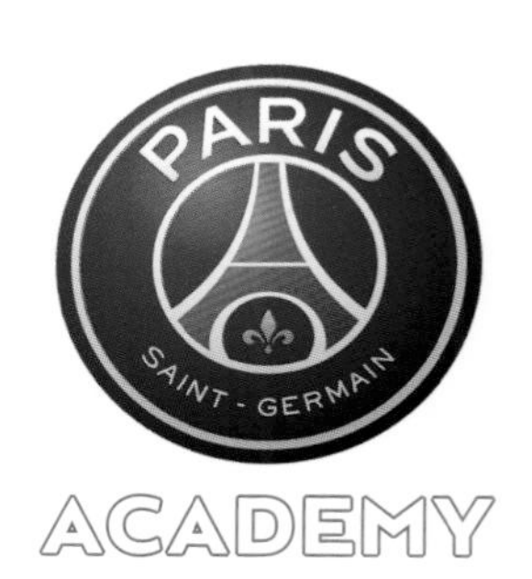

Une série dirigée par Jean Wacquet

Paris Saint-Germain / Produit sous licence officielle

Soleil
15, boulevard de Strasbourg
83000 Toulon - France

Soleil Paris
8, rue Léon Jouhaux
75010 Paris - France

Conception graphique : Studio Soleil

Dépôt légal : Août 2013 - ISBN : 978-2-302-03141-8

Impression : PPO Graphic - Palaiseau - France

PA

SAINT

ACA